SOBRE DEMÔNIOS E PECADOS

RUBEM ALVES

SOBRE DEMÔNIOS E PECADOS

Companhia Editora Nacional

Sobre demônios e pecados © Rubem Alves
Copyright desta edição © 2018 by Companhia Editora Nacional.

Diretor superintendente: Jorge Yunes
Diretora editorial: Soraia Luana Reis
Editor: Fernando Barone e Alexandre Staut
Assistência editorial: Chiara Mikalauskas Provenza
Revisão: Valéria Braga Sanalios
Coordenadora de arte: Juliana Ida
Assistência de arte: Isadora Theodoro Rodrigues
Projeto gráfico: Marcela Badolatto

DADOS INTERNACIONAIS DE CATALOGAÇÃO NA PUBLICAÇÃO (CIP)
(CÂMARA BRASILEIRA DO LIVRO, SP, BRASIL)

A482s
   Alves, Rubem
     Sobre demônios e pecados / Rubem Alves. - 1. ed. - São Paulo : Companhia Editora Nacional, 2018.

     144 p. : il. ; 21 cm.
     ISBN 978-85-04-02078-6
     1. Crônicas brasileiras. I. Título.

18-51602   CDD:869.8
                                     CDU: 82-94(81)

Vanessa Mafra Xavier Salgado - Bibliotecária - CRB-7/6644
03/08/2018 08/08/2018

Companhia Editora Nacional

Rua Gomes de Carvalho, 1306 – 11º andar – Vila Olímpia
São Paulo – SP – 04547-005 – Brasil – Tel.: (11) 2799-7799
marketing.nacional@ibep-nacional.com.br
editoranacional.com.br

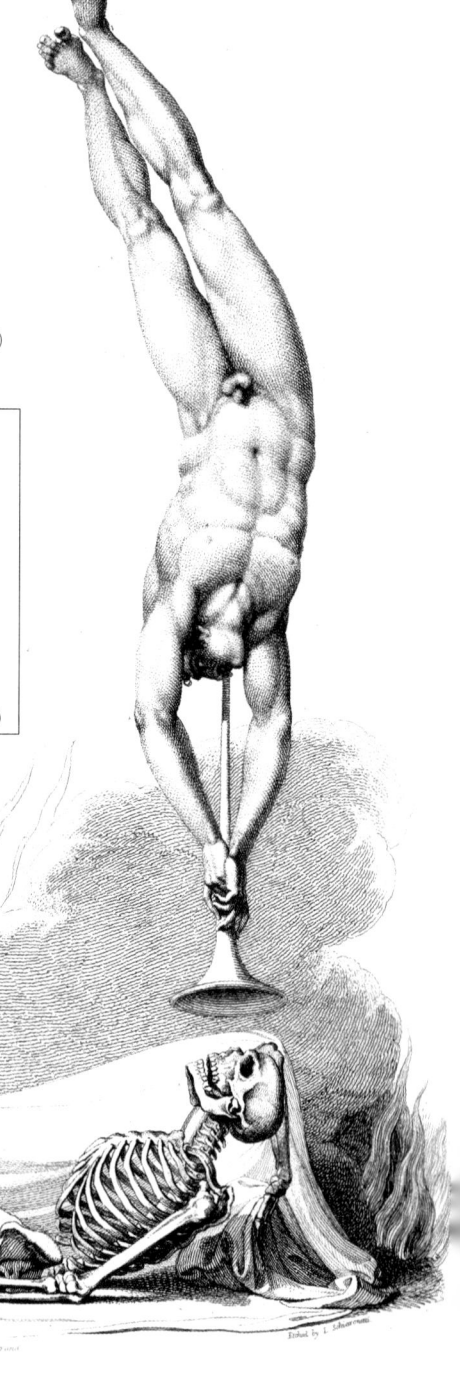

Consulte um advogado, você tem direitos.
Consulte um psicanalista, você tem avessos.
RUBEM ALVES

SUMÁRIO

\\ Nota do editor

Introdução

\ PARTE I

\\ A possessão demoníaca

\\\ Lobisomem

\\ Os demônios são os mesmos, mas os nomes são outros

\\\\ O que não existe, existe

\\ O retrato de DORIAN GRAY

\ Quem tolera tudo é porque
não se importa com nada

\ PARTE II

\\ **IRA**

\\\\ ~~Inveja~~

\\ GULA

\\\ Luxúria

\\ **Arrogância**

\ Avareza

\\ Preguiça

NOTA DO EDITOR

Rubem Alves tinha uma maneira bastante peculiar de escrever. O psicanalista, educador, teólogo e escritor conseguia abordar temas complexos com linguagem simples e descontraída – e não à toa essa característica acabou tornando-se uma das suas principais marcas.

Neste livro, Alves traz à tona assuntos delicados e profundos relacionados à psique humana, sempre brincando com a dualidade entre o "eu" interno e externo.

O fio condutor é a possessão demoníaca, a qual o autor despe da sua aura religiosa e a coloca em termos bem despretensiosos, como aquilo de ruim e feio que está dentro de nós, sempre disposto a emergir a qualquer momento. A possessão é frequente dentro dos padrões impostos para a convivência em sociedade: "O paciente, portanto, é alguém que está possuído por um poder estranho. O que varia não é a doença, mas a intensidade da febre", aponta em uma das páginas.

Mas porque chamar esse fenômeno de possessão demoníaca e classificar uma verdadeira Legião ao invés de aplicar nomes patológicos como ira, transtorno bipolar e depressão, entre outros? Simples: segundo os ensaios de Alves, a linha entre real e imaginário é completamente flexível para as pessoas; sem o imaginário, o homem teria sérias dificuldades em explicar suas emoções e sensações, além de limitar consideravelmente o espectro de compreensão da nossa espécie. Afinal de contas, em suas próprias palavras, "nós, seres humanos, somos os animais que se alimentam do que não existe".

Na segunda parte da obra, temos uma análise aprofundada sobre os sete pecados capitais, o ponto de intersecção dos distúrbios internos com o pragmatismo cristão. E aqui Alves esmiúça esses horrendos aspectos da psique, mostrando como cada "demônio" opera e como seu afloramento afeta o "possuído" e os presentes ao seu redor.

Ao longo dessa jornada insólita pelo pior dos componentes intrínsecos do subconsciente, Rubem Alves não nos dá respostas diretas, mas nos faz refletir sobre como nos comportamos diante dos diversos estímulos do cotidiano. Aliado ao seu estilo único de transformar o complexo em acessível estão referências à cultura pop, metáforas de clássicos da literatura e até mesmo comparações com doenças físicas e vírus. É difícil não se identificar com as descrições feitas por ele, mesmo que seja num nível fundamental – e, claro, não se divertir com as ironias presentes a cada capítulo.

Caso sinta algum desconforto enquanto passeia pelas páginas deste livro, ótimo; como o autor diz num dos capítulos, "a segurança põe a inteligência a dormir".

Então, agora você tem em mãos *Sobre demônios e pecados*. Te desejo uma boa viagem ao longo deste inferno pessoal, nessa jornada pelo Styx de neuroses, psicoses, aparências, ego e inveja.

Nos vemos na outra margem.

"DEIXAI TODA ESPERANÇA,

"Ó VÓS QUE ENTRAIS!"

DANTE ALIGHIERI
A DIVINA COMÉDIA
INFERNO

INTRODU

Embora este pequeno livro tenha aspecto inocente, ele é, na verdade, um talismã, amuleto, um objeto mínimo cheio de poderes para exorcizar demônios. "Qual é o teu nome?" Essa foi a pergunta que Jesus fez a um homem possuído pelo coisa-ruim. E por que esse interesse pelo nome de um demônio? Porque os entendidos nas artimanhas dele sabem que o demônio não suporta ouvir o próprio nome. Quando seu nome é pronunciado, ele foge para lugares desertos e deixa em paz a pessoa em cujo corpo morava. O demônio, sabendo disso, recusou-se a dar uma resposta concreta à pergunta de Jesus e dissimulou: "O meu nome é Legião, porque somos muitos..."

A psicanálise, que é uma das formas modernas de exorcismo, está de acordo. A psicanálise é a procura do nome reprimido e escondido. Quando o possuído – isto é, o paciente – aprende o nome do demônio que o atormenta e o diz em voz alta, fica livre.

O objetivo deste livrinho-talismã é ajudar você em sua busca. Ele o auxiliará a encontrar o nome do seu demônio – porque os demônios são muitos e diferentes. E, quando o descobrir e o gritar em alto e bom som, você ficará livre.

PARTE I

Mais poderoso que o nome do demônio é o riso. Quando ele começar a atormentá-lo, ponha-se a rir. O demônio ou demônios que moram em você fugirão espavoridos. Porque, como disse Nietzsche, maravilhoso exorcista, o demônio é o "espírito da gravidade" e não suporta a leveza do riso.

POSESSÃO DEMONI

ACA

Sabendo que em épocas passadas pratiquei a psicanálise, você pediu que eu fizesse o diagnóstico de uma perturbação que o aflige de tempos em tempos.

  Li a descrição de seus sintomas com a maior atenção. Você é uma pessoa educada, profissional competente, maduro, generoso, respeitado. No entanto, de modo repentino, por causa de um pequeno incidente, passa por uma súbita metamorfose. Você deixa de ser o que normalmente é e passa a ser um outro, o Mr. Hyde monstruoso da novela de Robert Louis Stevenson, *The Strange Case of Dr. Jekyll and Mr. Hyde*, publicada em português com o título *O médico e o monstro*.

Para início de conversa, devo informá-lo de que a psicanálise é um tipo de feitiçaria, e, a acreditar na opinião de William R. Fairbairn, psicanalista respeitado mundialmente, a função do terapeuta é exorcizar demônios. O paciente, portanto, é alguém que está possuído por um poder estranho. O que varia não é a doença, mas a intensidade da febre.

Casos como o seu não são raros, e ocupam um lugar destacado na literatura. Há de se levantar a hipótese de que, lá dentro, todo mundo é louco. O que não é de todo mau – tanto assim que Fernando Pessoa dava graças a Deus por ser louco. A loucura e a criatividade moram em quartos vizinhos...

Nos tempos em que eu era feiticeiro, atendi uma paciente que disse:

– É, eu tenho ideia fraca...

Em tom de brincadeira, interferi:

– Alto lá! Nesta sala somente eu tenho ideias fracas...

Ela ficou espantada e não entendeu. Aí expliquei:

– Eu penso as mesmas loucuras que você pensa...

Levantei-me e a chamei para ver o quadro de Hieronymus Bosch *O jardim das delícias*. É uma loucura completa. De onde Bosch tirou aquelas imagens e cenas medonhas? De dentro da própria cabeça. Quer dizer: a cabeça de Bosch era um hospício, morada de loucuras. Mas ele não era louco. Era um artista, pintor. Ele não era louco porque suas ideias eram "fracas". Ele sabia que não eram verdade. Não eram coisas. Eram criações de sua imaginação. Só existiam na cabeça dele. Agora, se ele pensasse que aquelas imagens e cenas eram realidade, seria um louco varrido. Seu lugar seria o hospício. Em vez disso, seu lugar é o Museu do Prado.

– Eu penso as mesmas coisas estranhas que você – continuei. – Mas sei que são só pensamentos, nuvens brancas levadas por uma brisa. Eu mando neles. E com eles faço literatura. Mas seus pensamentos são fortes. As nuvens brancas se transformam em nuvens negras, e chove, com trovões e relâmpagos, e você fica toda molhada. Você não é dona deles. Eles mandam em você. Você fica "possuída" por eles...

Sua descrição da metamorfose pela qual você passa me fez lembrar aquele personagem de um seriado, o Hulk. Normalmente homem simpático e franzino, de repente, quando provocado, ele se transformava num outro, um gigante. Ninguém diria que se tratava da mesma pessoa. Seus olhos ficavam estranhos, vidrados, o corpo inchava com músculos descomunais, a pele verdejava, as roupas se rasgavam e ele ficava possuído por uma força e uma fúria incontroláveis. Ainda bem que não é isso que acontece com você, pois, se fosse, sua despesa com o alfaiate seria enorme...

Tudo acontece repentinamente. O conselho de contar até dez não serve para nada. Antes de começar a contagem, você já está possuído. Tudo em você fica diferente, e os outros o olham com espanto. Mas esse Outro em que você se transformou nem liga. Não há palavra que o segure. É como se fosse uma ejaculação de fúria. Aí, passado o surto, o Outro deixa a cena. Some. E você volta, coberto de vergonha, para o corpo de onde o Outro o havia expulsado. É hora de tentar consertar os estragos.

Você sabe pedir desculpas. Isso é uma virtude. Mas também sabe que há coisas que não podem ser consertadas. Pode ser que a pessoa magoada pelo Hulk o desculpe, mas é impossível que ela se esqueça do que viu. Ela viu o Outro que mora em você e de que ninguém gosta. Nem mesmo você.

Seu horror é triplo. Primeiro, o horror por aquilo que o Outro, com a sua cara, faz.

Segundo, o horror de que os outros o tenham visto daquele jeito monstruoso. Você deve conhecer um brinquedinho, não sei o nome em português. Em inglês é *jack-in-the-box*. É um cubo de metal com uma manivela. O cubo é bonitinho por fora. Aí, a gente vai rodando a manivela e, de repente, a tampa se abre e de dentro do cubo salta uma cabeça grotesca, que nos dá um susto. Vendo o cubo fechado, ninguém suspeitaria da cabeça assustadora que está dentro dele. Pois você é parecido com o *jack-in-the-box*. Todo mundo fica com medo de rodar a manivela.

Terceiro, o simples horror de que more em você um hóspede desconhecido que está além do seu controle racional. Se conselhos racionais valessem alguma coisa, eu lhe daria vários, e até poderia escrever um livro de autoajuda sobre o assunto. Mas, quando o hóspede desconhecido entra em cena, já é tarde demais para fazer qualquer coisa. Até mesmo os anjos da guarda fogem...

Com base nos meus conhecimentos híbridos de psicanálise e magia, meu diagnóstico é o seguinte: você sofre de uma possessão demoníaca intermitente. Imagino seu sorriso de incredulidade ao ler isso. Como é possível que um homem como o Rubem Alves ainda acredite em demônios? Demônios são fantasias do imaginário religioso...

De fato, demônios são fantasias do imaginário religioso. As religiões os pintaram como seres repulsivos, com cara de bode, chifres na cabeça, peludos, com rabo, masculinos, genitais em forquilha para penetrar dois orifícios ao mesmo tempo e especialistas em soltar ventilações sulfúricas malcheirosas pelas ventas e pelas partes inferiores. Invisíveis, vagam pelos espaços vazios à procura de ninhos onde botar seus ovos.

Escolhida a vítima, eles se aproximam e, por meio de truques sedutores, tentam entrar na casa onde desejam se aninhar. Se o dono da casa é bobo e acredita na conversa deles, entram, tomam posse do espaço e não saem pacificamente.

Você já deve ter ouvido falar: "Ele ficou fora de si". Se ficou fora de si, quem é que ficou dentro de si? Só pode ser um Outro que não ele. Então, naquele momento, o corpo já não é posse dele. Está sob controle de um Outro, que faz coisas que ele jamais faria.

Nos tribunais se usa falar em "privação dos sentidos" para se referir a uma pessoa que não é responsável por aquilo que faz. É a forma forense de se referir ao "ficar fora de si", enquanto "um outro" fica dentro de si. Isso quer dizer que a própria linguagem dos juízes e advogados reconhece como real essa situação em que o corpo fica possuído por uma entidade estranha.

Assim, se o meu corpo cometeu um crime sob a condição de "privação dos sentidos", isto é, enquanto estava possuído por um estranho, eu não o cometi. Não sou culpado, não posso ser condenado.

Não descarte os demônios com seu sorriso zombeteiro. Pode ser que o nome e as imagens não sirvam mais. Mas a "coisa" continua a existir com outros nomes. É como um vírus de computador – ele entra sem permissão e faz a maior confusão. Pois assim são os demônios... Vírus, demônios, dois nomes diferentes para a mesma coisa. Com uma diferença: é mais fácil se livrar dos vírus que dos demônios.

LOBT

SOMEM

Um jeito de compreender o que é possessão demoníaca é a lenda do lobisomem. Ela fala de um homem bom e tranquilo dentro do qual mora um lobo. Mas o lobo fica trancado em uma jaula. Aparece vez por outra, quando, por razões que não se sabe, a jaula se abre e ele sai. A lenda diz que ele sai em noites de lua cheia. Mas acho que não é bem assim. Ele sai – não se sabe quando nem por quê. Aí, toma conta do corpo. E o homem bom e tranquilo, ele o tranca na jaula. Livre, ele é só fúria incontrolável. Esgotada sua fúria, retorna à sua morada, dentro da jaula, e o homem bom e tranquilo retoma seu lugar. Os dois nunca se encontram. Nem mesmo se conhecem.

SOBRE DEMÔNIOS E PECADOS

É lenda, mas é verdade. Isso tem um nome na linguagem da psicanálise. É chamado de "núcleo psicótico". Em linguagem comum: dentro de todo mundo mora um doido. Em alguns, a jaula é fechada a sete chaves e o bicho não sai. Mas, em outros, a fechadura é fraca e ele sai. Os religiosos dão a isso o nome de "possessão demoníaca". Os Evangelhos falam de um homem assim. Era tão forte que nem mesmo as correntes mais grossas conseguiam contê-lo. O ruim da expressão "possessão demoníaca" é que ela dá a entender que o bicho é um invasor que vem de fora. A psicanálise diz, ao contrário, que ele não é um invasor, mas um morador permanente do corpo, parte da gente.

Aí tomam-se as providências para eliminar o demônio. Levam o homem a um psicólogo, psicanalista ou psiquiatra, nomes modernos para o ofício de exorcista. Mas o exorcista fica perdido, porque o homem que está diante dele é tão manso, tão bom, fala de literatura, de arte, de crianças... Ele nada sabe sobre o lobo. Não é ele. É um outro. O lobo está dormindo em sua cela...

OS DEMÔNIOS SÃO OS

MESMOS, MAS OS NOMES SÃO OUTROS

Você já deve ter ouvido falar nas doenças que havia antigamente e não existem mais. Vento-virado, estupor, mijacão, espinhela caída, nó nas tripas, mal de sete dias.

Entre os mais temidos estava o mal de sete dias, que matava as criancinhas antes de atingirem sete dias de idade. Todo cuidado era pouco. Fechavam-se as janelas da casa, para que o dito mal não entrasse com o vento e a friagem. Enquanto isso, a criancinha ia sendo tratada com todo o cuidado.

O que requeria mais atenção era o umbigo, cuidado com uma pomada feita de urina da mãe, raspas do chapéu do pai, fumo de rolo picado, teia de aranha, bosta de vaca seca. E aí, a despeito das janelas fechadas e da pomada, a criancinha morria.

Mal de sete dias – ninguém fala mais nele. Deixou de existir? Não. Existe e pode matar do mesmo jeito. Só que mudou de nome. Hoje ele se chama tétano. Possessão demoníaca acabou? Não acabou, não. Continua a existir com outros nomes.

O Novo Testamento conta a estória de um homem possuído por demônios. Dizem os Evangelhos que os demônios eram tão fortes que nem mesmo grossas correntes conseguiam segurar o dito. O infeliz havia se mudado para os sepulcros, cortava-se com pedras afiadas e uivava como um animal pelas noites adentro.

Possessão demoníaca é isto: força sem amor.

Primeiro, a força. Nem correntes seguravam o homem. Se correntes não o seguravam, que dizer de sua enfraquecida vontade?

Se o demônio fosse mais fraco que ele, o homem o expulsaria de sua casa-corpo. Mas o demônio era mais forte e fazia com o corpo dele aquilo que ele mesmo não queria. O demônio o cortava com pedras afiadas. Devia doer muito.

Quem teria prazer numa coisa tão terrível? Ninguém. Quem tinha prazer era um poder estranho, inimigo dele, que o levava para perto da morte e o fazia uivar como um bicho. Demônio é um poder que se apossa do corpo e faz, com o corpo, o contrário do que o amor pede.

Isso deixou de existir? O apóstolo Paulo, homem erudito e racional, chamava a si próprio de "miserável", dizendo que as coisas boas que queria fazer ele não conseguia, mas, as coisas más que não queria fazer, ele as fazia. Jeito elegante de dizer que nele morava um demônio.

O fumante sabe que fumar é ruim, brega, fede, causa câncer e infarto. Ele quer parar. Mas o demônio é mais forte.

Tive uma paciente que era visitada por um demônio terrível, que não fazia nada com o corpo dela. Fazia com a alma.

Os demônios são especializados em ideias

– ideias obsessivas que a gente não quer ter, mas que ficam martelando a cabeça como um bate-estacas de construção. Fazem sofrer.

A ideia que lhe vinha era que ela degolaria a filha. Toda vez que estava sozinha com a filha, vinha-lhe a ideia terrível que não queria ter.

Um psicanalista insensível diria: "Ah! Deve haver, no fundo de seu inconsciente, um desejo secreto de degolar sua filha!" Pobrezinha. Assim ela se tornava vítima de dois demônios: o demônio mesmo e o psicanalista.

Quando temos uma ideia obsessiva, isso não quer dizer que queremos aquilo. Quer dizer o contrário: que não queremos aquilo.

O endemoninhado do Novo Testamento não queria ser o que era. Ele era o que era, contra a vontade. Estava "fora de si", havia sido expulso da própria casa.

Você é manso. Gosta das pessoas. Não quer ser violento. Mas aí, de repente, o demônio toma o seu corpo de assalto e você vira Hulk. Você não se corta com pedras afiadas. Segura a faca pela lâmina de dois fios e corta os outros e a si mesmo com palavras afiadas. Dói.

Os demônios sempre trazem sofrimento. Se a pessoa não sofre, é porque eles já tomaram conta dela.

O QUE NÃO EXISTE,

EXISTE

Falei sobre demônios e você não entendeu nada do que eu disse. Eu compreendo. Você é um cientista. E os cientistas, em virtude de sua formação, têm a cabeça capaz de entender tudo aquilo que é escrito segundo a lógica do discurso científico, mas, por isso mesmo, tornaram-se incapazes de compreender as coisas que são ditas segundo a lógica da poesia.

Explico. Se eu falar "vinho", a ciência entende "vinho". Mas, se alguém diz para a amada "Teu umbigo é uma taça cheia de vinho", ele não está dizendo literalmente que o umbigo dela está cheio de vinho – muito embora, num momento de brincadeira amorosa, ele possa derramar vinho no umbigo dela... O que ele está dizendo é que o umbigo da amada, arredondado, é excitante e o faz sonhar...

É assim que se faz poesia. Falei em linguagem poética, metaforicamente. Você não entendeu. E continua a afirmar que demônios não existem...

Vou então me valer de uma outra linguagem. Vou falar com a linguagem da filosofia. Vou dar uma aula de metafísica. Metafísica é um exercício filosófico que tenta dizer como o universo é constituído.

Digo, então, que as coisas do universo são de duas ordens. Há aquelas que existem existindo. E há aquelas que existem não existindo. Essa afirmação parece completamente destituída de sentido. Vou explicar.

Tudo tem a ver com o sentido escorregadio do verbo "existir". Como é que a gente sabe que algo existe? Sei que uma coisa existe por aquilo que ela faz comigo. Se ela não faz nada comigo, é como se não existisse. É por isso que a ciência desenvolveu maravilhosos instrumentos de observação e experimentação, para ver o que os objetos fazem.

Quando um astrônomo, usando um telescópio, percebe que existe algo muito além do alcance dos nossos sentidos desarmados, a que dá o nome de "buraco negro", ele tem certeza de que essa coisa existe. Frequentemente ele não vê a coisa, só percebe as alterações que ela provoca. Percebendo as alterações, conclui que algo misterioso tem de existir. Mas, se não houver alteração alguma, não há forma de concluir sobre a existência de algo. Se, por hipótese, houver um elefante cor-de-rosa sentado sobre a minha cabeça, produzindo os ruídos que os elefantes normalmente produzem e até fazendo cocô na minha cabeça, mas nem eu nem ninguém perceber sua forma, cor, ruídos e fedor, para todos os efeitos práticos e teóricos é como se ele não existisse. Ele não pertence ao rol dos existentes.

Mas há coisas que não existem e que são capazes de provocar alterações em nosso corpo e em nossa alma. Os sonhos, por exemplo. Você sabe que os sonhos são fantasias. Assim sendo, os objetos que aparecem neles não existem. Mas o fato é que esse inexistente é capaz de me fazer feliz, se sonho estar abraçado com a pessoa amada, que pode até já ter morrido. E infeliz, se vejo a pessoa amada abraçada com outro que nem sei quem é. Terminado o sono, a felicidade ou a infelicidade do sonho continua a nos acompanhar depois de acordados.

Tantas coisas que existem não fazem a menor diferença para as pessoas – nem sequer são percebidas. E tantas coisas que não existem se apossam do corpo e da alma das pessoas, fazendo com elas coisas extraordinárias.

Segundo a lenda, o bandeirante Fernão Dias empreendeu uma jornada absurda através da selva, com sofrimento e morte, em busca de uma montanha feita de esmeraldas. Muitas coisas que não existem dão sentido à vida das pessoas. Ou dão terror.

Deus existe? Certamente não da forma como existem árvores, estrelas e pulgas. Árvores, estrelas e pulgas são objetos de investigação científica. Mas Deus? Que cientista seria tolo de apresentar um projeto de pesquisa cujo objetivo fosse encontrar Deus?

Deus não existe como um objeto que a ciência possa investigar. Deus existe como um ser da imaginação. E a prova disso é que cada um tem um deus diferente.

Assim são os demônios. Sabedoria metafísica de Riobaldo: "O demônio não precisa de existir para haver – a gente sabendo que ele não existe, aí é que ele toma conta de tudo".

Anote isto: nós, seres humanos, somos os animais que se alimentam do que não existe. Se nos alimentamos dos inexistentes chamados anjos, então nos tornamos seres alados. Voamos leves e sorrimos. Mas, se nos alimentamos dos inexistentes chamados demônios, ficamos pesados e afundamos. Ora, se esses seres que não existem, imaginários, nos fazem voar ou afundar, é porque existem. Sabemos que existem por aquilo que fazem conosco.

Você deve se dobrar diante das evidências – de vez em quando um ser estranho que não existe se apossa do seu corpo e você se transforma num outro que nem mesmo você reconhece. Cuide-se. Medite no que disse Riobaldo: "A gente sabendo que ele não existe, aí é que ele toma conta de tudo". Seu inimigo é pior que um tigre. O perigo de um tigre se resolve com um tiro; ambos, tigre e bala, são existentes. Mas, diante de um inimigo não existente, que arma você vai usar?

Relendo este texto depois de passado muito tempo, e tendo proposto a pergunta sobre o que fazer com os tigres não existentes, lembrei-me de que Mário Quintana já a havia respondido. Ele disse que, se um dragão terrível, soltando labaredas pelas narinas, estiver correndo atrás de você, basta olhar para ele, fazer aquele gesto que se faz para chamar um gatinho e dizer: "*Joli, Joli, Joli...*" E concluiu: "O dragão te seguirá por toda parte como um cachorrinho..."

O RETRATO DE

DORIAN GRAY

Os demônios gostam de se aninhar. Seu ninho preferido é o corpo da gente. Mas não se aninham em qualquer lugar do corpo. Não se conformam em ficar num canto. Querem se aninhar no lugar mais querido. E qual é o lugar mais querido? É onde mora a beleza – a nossa beleza. Queremos ser belos; esse é nosso desejo mais profundo. Sobre isso, leia o poema de Pessoa "Eros e Psique".

Não que eles gostem da beleza. É justo o contrário. Porque não gostam dela, aninham-se nela para ali botar seus ovos de feiura. Esta é a marca da possessão demoníaca: o possuído fica feio.

Sobre demônios e pecados

Os demônios estão pouco se lixando para a moralidade, os atos bons ou maus que possamos fazer. Eles não são moralistas. São estetas. Amam a estética do horrendo. Trabalham como artistas para fazer com que fiquemos horrendos como eles.

Na tradição cristã, os demônios são descritos como corruptores da moral. Para isso nos tentam. Querem que pratiquemos atos moralmente reprováveis – adultério, roubo, assassinato, avareza, luxúria. Pois eu digo que não é assim. Os atos que praticamos são acidentais. É isso que torna possível o perdão. Perdão é esquecimento – o que aconteceu é como se não tivesse acontecido. Razão por que, na tradição cristã, os pecados morais são comparados à sujeira. Sujeira se lava com água e sabão. Depois da lavação, o sujo fica limpo. Pecado se lava com arrependimento e absolvição. Mas os demônios não se preocupam com o acidental. Eles se aninham no essencial.

No jardim da casa de um tio, havia uma flor curiosa. Branca, linda. De longe. De perto, um horror – as flores brancas fediam a carniça. Teria sido fácil acabar com o cheiro de carne podre. Era só usar a tesoura de podar e cortar todas as flores – mesmo antes de nascerem. Sem as flores, o arbusto teria sido uma beleza de verdura.

A tesoura de podar é o perdão. O perdão serve para podar a flor, para eliminar o fedor de fora. Mas não há tesoura que seja capaz de eliminar o fedor de dentro. A árvore, na essência, mesmo sem nenhuma flor, era fedorenta. Nela, escondido, morava o fedor. Acidentalmente, sem cheiro ruim. Essencialmente, fedia sempre. Muita gente fedida por dentro não é fedida por fora, por medo ou vergonha. Muita virtude nasce do medo e da vergonha. Os demônios não se aninham na flor por acidente. Eles se aninham na alma, na essência. Os fariseus eram moralmente irrepreensíveis. Mas Jesus dizia que, por dentro, eram sepulcros cheios de putrefação.

Nietzsche tem um aforismo enigmático: "É fácil perdoar o que você fez comigo. Mas como posso perdoar o que fez consigo mesmo?" O que você fez comigo pertence ao campo da moral, é um ato que me magoou. Esse ato posso perdoar, esquecer – se eu souber que ele não expressa sua essência. Foi um acidente. Mas, ainda que você nada tenha feito que me cause mágoa, como posso fazer de conta que sua essência não é o que parece ser? Se vi sua feiura, como posso me esquecer dela? O horrendo, uma vez visto, é inesquecível. O que você me fez, tenho o poder de perdoar. Mas o que fez consigo mesmo, não tenho forma de perdoar – porque você vai continuar a ser o que é.

Deus ama a beleza. Criou-nos para sermos belos. Dizem os poemas sagrados que fomos criados para ser espelhos da beleza divina. Um rosto: um lugar efêmero onde a beleza eterna se deixa ver... Mas, se eu ficar feio, então o divino aparecerá com o rosto de um demônio. Aí estarei perdido. Não somos perdidos pela moral. Somos perdidos pela estética.

Dorian Gray, personagem do romance de Oscar Wilde, fez um pacto com o demônio: ficaria eternamente jovem e belo – por fora. O preço de sua eternal juventude e beleza era um retrato seu, quando jovem, pintado por um artista. O quadro sofreria transformações, mostrando como ele era por dentro, na essência – um ser monstruoso. Depois de muitos anos, o jovem belo, contemplando seu rosto monstruoso no quadro, não suporta ver o próprio horror e apunhala o retrato. Mas a punhalada transpassa seu coração. Quando é descoberto, morto, o retrato está com a beleza original da juventude, e seu rosto, monstruoso como o retrato.

Cada demônio é uma monstruosidade estética. Cada um deles encarna um estilo de horror. Possuídos, vamos ficando progressivamente horrendos como eles. Até que, ao final, já não é possível dizer quem é um e quem é outro.

QUEM TOLERA TUDO É PORQUE

NÃO SE IMPORTA COM NADA

Ao reler as meditações que escrevi sobre demônios, dei-me conta de um equívoco que cometi. Disse que os demônios se parecem com vírus de computador. Errado. Vírus, biológicos ou de computador, são invasores estranhos. Vêm de fora. Mas os demônios não são invasores. São pedaços de nós mesmos.

Seria mais certo compará-los com o câncer. O que é o câncer? O organismo, como você sabe, é composto de bilhões de células. Todas elas têm vida própria. Mas nenhuma tem ideias próprias. Imagine uma orquestra, dezenas de instrumentos diferentes, todos tocando a mesma música, sob a direção do maestro. Os instrumentos não podem fazer o que querem. Têm de obedecer. O corpo é uma orquestra. Toca uma melodia. Cada célula é um instrumento. Tocam a melodia que o corpo, maestro, determina.

Imagine que um instrumento – a tuba, por exemplo – enlouqueça. Que ela se esqueça da melodia que a orquestra executa, que deixe de obedecer ao maestro, fique embriagada com a pequena parte que toca e tome a decisão de que só sua pequena parte será tocada. Aí a tuba começa a tocar cada vez mais forte, mais forte, até abafar a grande melodia!

Eu disse que a expressão última dos demônios é estética. Eles transformam o belo em horrível. Escondidas sob rostos bonitos que tocam oboé (instrumento mais bonito não existe), há tubas selvagens que, a qualquer momento, podem fazer explodir a melodia. Se você puder, assista ao filme *Ensaio de orquestra*, do Fellini. Você vai entender o que estou dizendo...

Quando um vírus invade o corpo, os mecanismos de defesa logo o identificam como um corpo estranho e inimigo e tratam de tomar providências para se livrar dele. Mas, quando células enlouquecidas começam a se reproduzir desordenadamente, o corpo não percebe o que está acontecendo, porque elas são parte dele mesmo. Imagine que, por uma perturbação auditiva – o maestro é surdo –, ele não se dê conta do que está acontecendo. A tuba terminará por arruinar a melodia. Pois o câncer é isto: uma célula enlouquecida cuja loucura o corpo não percebe. E, por isso, não toma as providências devidas.

Os demônios são uma tuba enlouquecida que se apossa do corpo. Não são invasores. São parte de nós mesmos. Enquanto estavam a serviço da melodia (que tem o nome de alma), sua parte era bonita, compunha a beleza do todo. Mas, por razões que não sei explicar, essas partes boas começam a crescer, a invadir territórios que não são seus. E a alma, sem conseguir identificá-las como invasoras, não se defende. Deixa que elas cresçam. Lembra-se do dito do Riobaldo? "O demônio [...] – a gente sabendo que ele não existe, aí é que ele toma conta de tudo..." O câncer toma conta do corpo porque o corpo não sabe que ele existe. O demônio toma conta de tudo porque a alma não sabe que ele existe.

Vou dar um exemplo. A ira é ruim? Depende. Há coisas tão horrendas neste mundo que a ira é a justa reação de qualquer pessoa sensível contra os torturadores, os que prostituem meninas, os que fazem violência contra crianças, os poderosos corruptos. Diante de coisas como essas, não consigo ficar tranquilo. O meu desejo é destruir. Você ficaria manso diante de um criminoso que ameaça sua filha pequena? Você pensaria nos direitos humanos dele? Se pudesse, você o fulminaria com um raio. O amor deseja sempre destruir aquilo que está destruindo o objeto de seu amor. Ficar impassível diante das injustiças não é virtude. É degeneração moral.

Há religiões que pregam a tolerância universal. Mas não existe nada mais contrário ao amor que a tolerância universal. Tolerância universal é indiferença. Quem tolera tudo é porque não se importa com nada. Diante das injustiças, a ira é justa e expressão do amor. Contribui para a vida e para a bondade. A ira é justa quando obedece às ordens do amor.

Mas e quando a ira se liberta do amor e passa a ter ideias próprias? E quando a ira se apossa do corpo e passa a ser nossa senhora? E quando a ira deixa de ser um meio de defesa da vida e passa a ser um fim em si mesma? Pois o demônio é isto: um impulso bom em si mesmo, como meio – que se transforma em um fim. Quando isso acontece, o corpo fica igual à orquestra do filme *Ensaio de orquestra*...

PARTE II

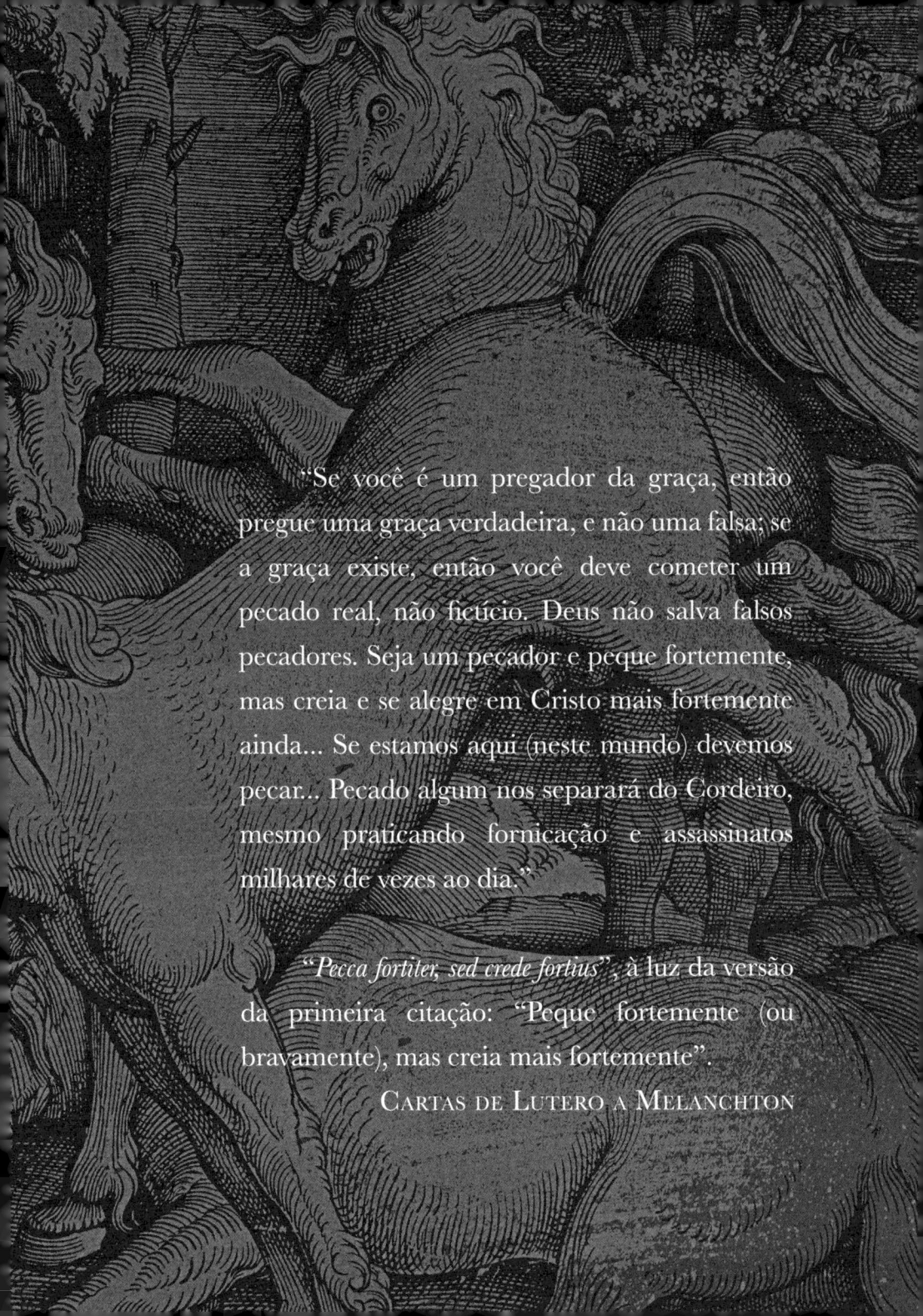

"Se você é um pregador da graça, então pregue uma graça verdadeira, e não uma falsa; se a graça existe, então você deve cometer um pecado real, não fictício. Deus não salva falsos pecadores. Seja um pecador e peque fortemente, mas creia e se alegre em Cristo mais fortemente ainda... Se estamos aqui (neste mundo) devemos pecar... Pecado algum nos separará do Cordeiro, mesmo praticando fornicação e assassinatos milhares de vezes ao dia."

"*Pecca fortiter, sed crede fortius*", à luz da versão da primeira citação: "Peque fortemente (ou bravamente), mas creia mais fortemente".

CARTAS DE LUTERO A MELANCHTON

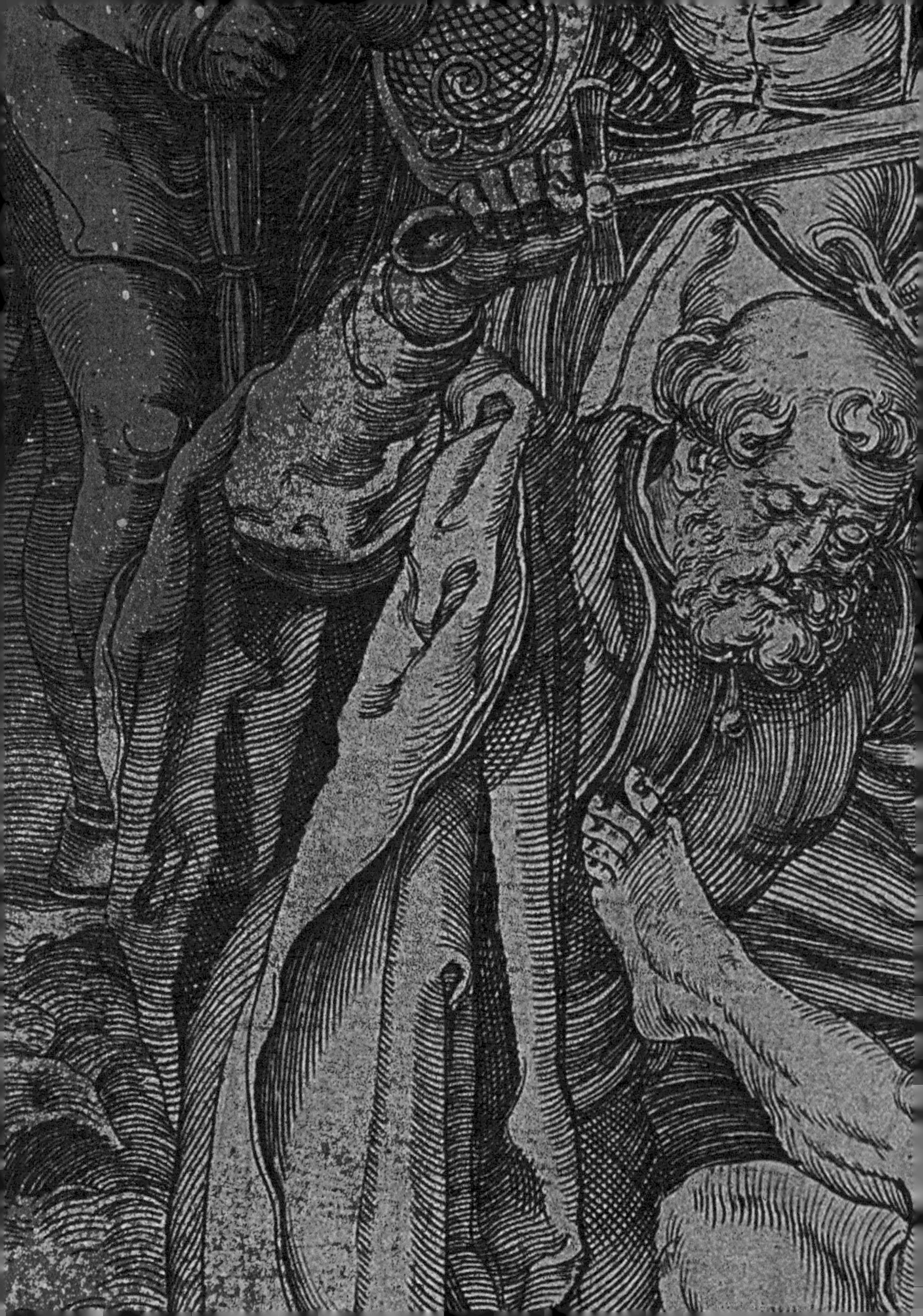

IRA

Observando as inúmeras empresas e profissionais que prometem a beleza do corpo – cirurgiões plásticos, spas, clínicas de estética –, imaginei que os psicanalistas e seus colegas terapeutas poderiam descrever o produto que vendem como "estética da alma". Poderíamos, então, imaginar este diálogo divertido:

– Soube que você está fazendo terapia...

– É verdade. Estou fazendo terapia.

– Mas para quê? Para resolver seu Édipo?

– Não. Para ficar mais bonito...

Se você não conhece a relação entre a beleza da alma e a beleza do corpo, eu lhe digo: a alma não fica escondida dentro do corpo. Aparece sempre na superfície. E é ela, a alma, que faz o corpo ser bonito ou feio.

Como dizem as Escrituras Sagradas, "o coração alegre aformoseia o rosto". A alma feia mostra-se na superfície do corpo.

Os sete pecados capitais são os nomes das diferentes deformações estéticas produzidas por demônios específicos. Cada demônio tem uma feiura inconfundível que o caracteriza.

As deformações produzidas pela ira são inconfundíveis. A melhor maneira de compreender a ira é representá-la por uma imagem visual. Lembro-me, nos tempos antigos, dos homens que tinham por profissão rachar lenha. Seu instrumento: um machado afiado. O corpo do rachador de lenha, todo ele a serviço de um único ato: o golpe de machado que, atingindo a madeira, iria rachá-la ao meio. Os sentimentos do rachador de lenha eram bons. Ele não tinha raiva da lenha.

Imagine agora uma pessoa que tem nas mãos

um machado afiado, mas quer golpear não uma acha de lenha, e sim outra pessoa – eis a imagem de alguém irado. É claro que se trata apenas de uma imagem. O machado da pessoa irada não é um machado de aço. É seu corpo inteiro. Saem lâminas de seus olhos, saem lâminas de suas palavras, saem lâminas de seus músculos, saem lâminas de seu rosto. Seu poder está totalmente concentrado nos golpes para destruir o outro. As outras potencialidades do corpo – a capacidade de carinho, de mansidão, de amor, de brinquedo, de riso – desaparecem. Estão fora do corpo. A pessoa irada não tem ira. É a ira que a tem. Ela é ira, totalmente.

Os demônios não se contentam com partes. Querem possuir o corpo inteiro.

A ira demoníaca não é uma reação proporcional a um ato detestável. Já mencionei a ira diante da tortura, da mentira, da prostituição de meninas, da corrupção dos poderosos. Esta é justa e está a serviço do amor. Aparece como defesa contra um ato que vem de fora. E, tão logo se livre da coisa detestável que a provocou, ela desaparece. Trata-se de uma ira acidental.

Não é assim a ira demoníaca – esta mora permanentemente dentro do corpo. Que demônio depositou ali seus ovos? Não sei.

Parece-se, em tudo, com um furúnculo que cresce, dói, lateja e precisa vazar, furúnculo de lâminas. As lâminas da ira de fora existem primeiro como lâminas da ira de dentro. O possuído sofre a dor de sua própria ira latejante.

Enquanto ele não ejacula suas lâminas sobre outro, a ira tem a forma de irritação. A irritação é uma lamina de machado estilhaçada em milhares de alfinetes espalhados pelo corpo inteiro. Os alfinetes ficam sob a pele. Tudo machuca, tudo incomoda – tudo irrita. O corpo fica então à procura do canal para se livrar dos alfinetes que o incomodam. Quando a ocasião aparece, o furúnculo explode, os milhares de alfinetes se transformam em machado – e eis uma pessoa possuída pelo demônio da ira.

A feiura da ira dá medo naqueles a quem o

machado se dirige. Vejo os olhos das crianças apavoradas e indefesas ante a ira dos pais. Mas, naqueles que simplesmente contemplam a cena, o sentimento não é de medo. É de profunda pena daquela pessoa bonita, que a ira deformou e transformou em feia.

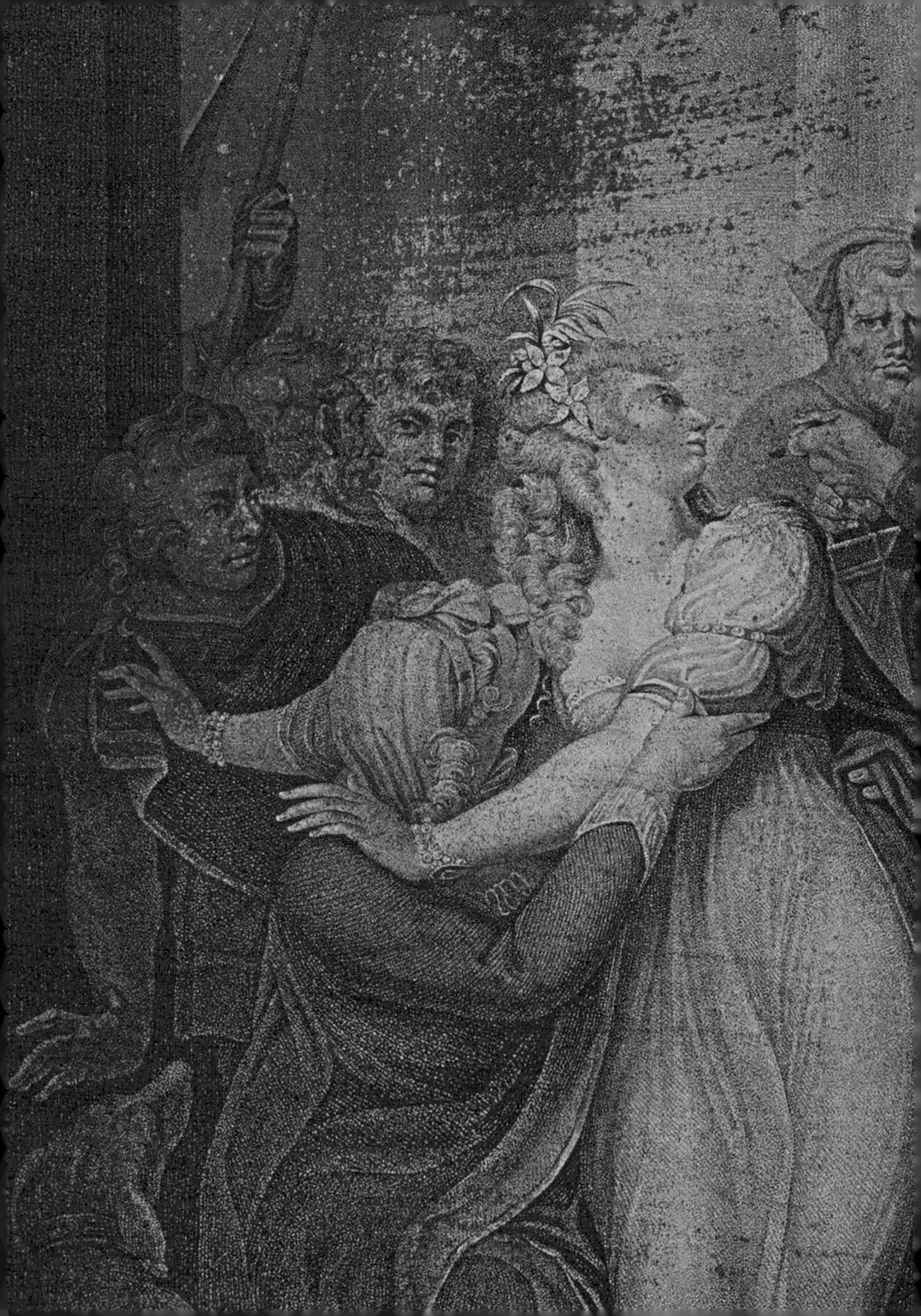

INVEJA

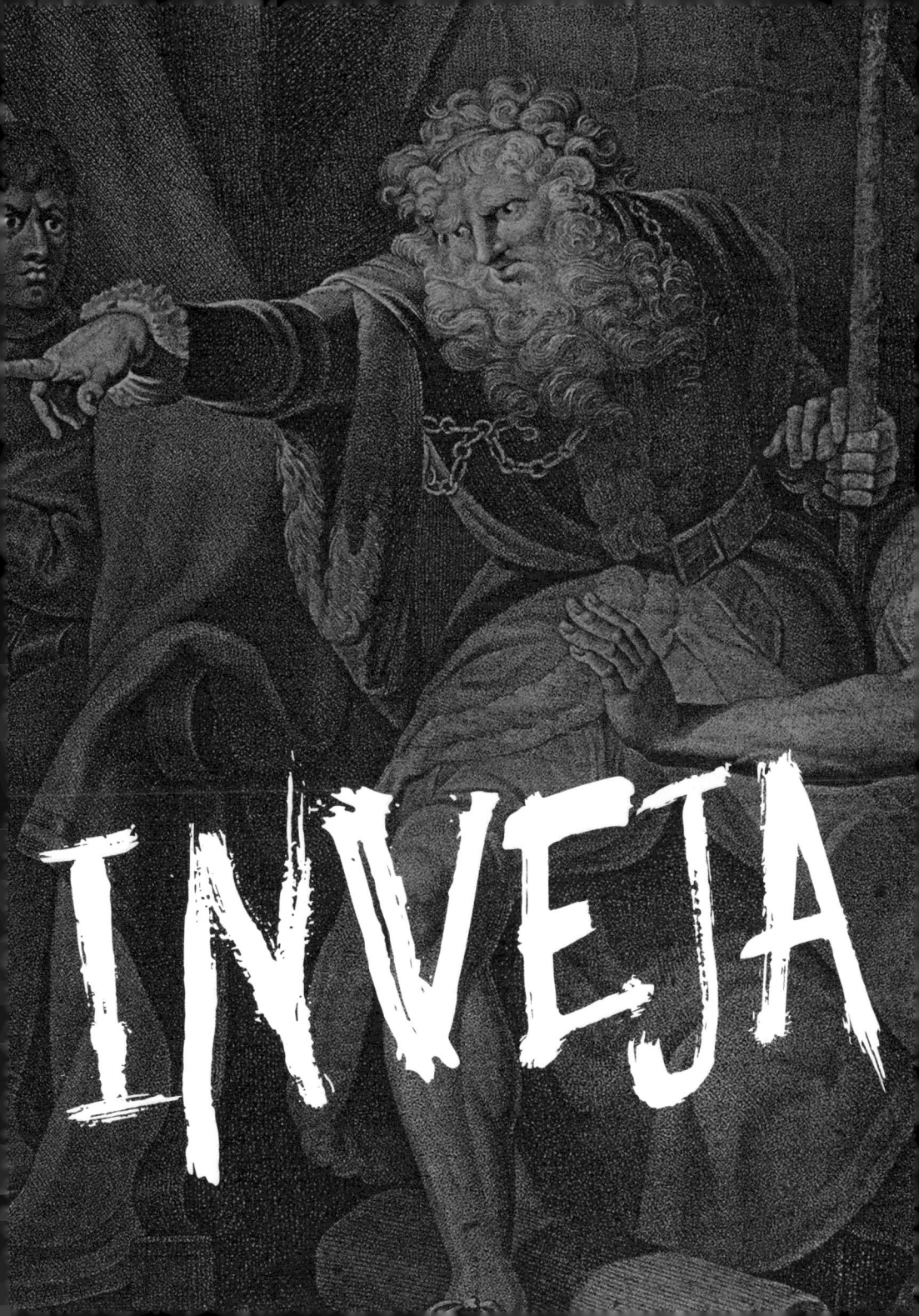

Gosto de tomates. Quando menino, em Minas, tínhamos uma horta onde plantávamos alface e tomate. Era uma alegria ver os tomates crescendo, gordos e vermelhos. E me lembro do cheirinho bom que saía das folhas do tomateiro quando eram regadas. Depois, a alegria de colhê-los e a alegria de comê-los. Movido por saudade, resolvi plantar uns tomateiros lá em Pocinhos do Rio Verde, numa casinha que tenho na montanha. Os tomateiros cresceram viçosos e fortes. Amadureceu o primeiro tomate, todo vermelho, com exceção de um ponto preto na casca. Nem liguei. Colhi o tomate e me preparei para comê-lo.

Dei a primeira dentada e cuspi, com nojo. O que havia dentro dele não era o que havia dentro dos tomates da minha infância. Era um verme branco, grande, enrugado, gordo por haver comido toda a polpa do tomate...

Foi essa a imagem que me veio à memória quando me preparava para falar sobre o mais terrível de todos os demônios. Ninguém suspeita. Não aparece. Ele vai comendo por dentro as coisas boas que crescem no nosso quintal.

Já disse que os demônios fazem ninhos no corpo. Cada um tem sua preferência. Esse demônio faz seu ninho nos olhos. E o que é que ele faz? Não faz nada com coisas ruins e feias. Ele não gosta de coisas ruins e feias. Como o verme, prefere os tomates vermelhos. Gosta de coisas bonitas. E o resultado é que, quando uma coisa bonita que cresce no nosso quintal (note bem: ele só faz sua obra em coisas do nosso quintal) é tocada pelo olho onde mora o verme, ela imediatamente murcha, apodrece, cai. E aí vêm as moscas...

O demônio que se aloja nos olhos se chama inveja. Inveja vem do latim *invidere*, que, segundo o Webster, quer dizer "olhar pelo canto dos olhos". A inveja não olha de frente. Quem olha de frente tem prazer no que vê. Quem olha de lado olha com olho mau.

Olho mau, olho gordo – muita gente tem medo desse olhar. Não precisa. O verme da inveja nunca faz nada com os tomates da horta alheia. Ele só come os tomates da nossa horta.

Explico. Fernando Pessoa diz que a inveja "dá movimento aos olhos". Olho de inveja não olha numa direção só. Lembre-se do que eu disse: o olho onde se aninha o verme da inveja só gosta de ver coisas bonitas. Então é assim que acontece. Tenho um belo tomate crescendo no meu quintal. Gordo. Vermelho. Doce. Grande. Que tomate mais bonito! É certo que não há vermes dentro dele. Vai dar uma deliciosa salada! Mas antes vou mostrar o meu tomate para o vizinho. É bom compartilhar coisas boas. Mas aí eu olho o quintal do vizinho. Ele também cultiva tomates. Vejo o tomate que cresce no tomateiro dele. Lindo! Vermelhíssimo. Brilhante. Enorme. Saudável. Mais bonito que o meu. Aí o verme entra no meu olho. Meus olhos se movimentam. Voltam para o meu tomate – que era minha alegria e orgulho. Não é mais. Mirrado. Pequeno. Murcho. Apodrece repentinamente e cai. Já não tenho o prazer da minha salada...

Esse movimento dos olhos é a maldição da comparação. Quando comparo o meu "bom" – bom mesmo, mais que suficiente para me fazer feliz – com o "bom" maior do outro, fico infeliz. E o que antes me dava felicidade passa a me dar infelicidade. Com a comparação, tem início a infelicidade humana.

Isso acontece com tudo. Comparo minha casa, meu carro, minha roupa, meu corpo, minha inteligência, meu pênis e até meu filho. Frequentemente, os filhos são vítimas no jogo de inveja dos pais. Meu filho, delícia de criança, alegre, cheio de felicidade. Mas o filho da outra tira notas mais altas que o meu, o filho da outra é campeão de natação e o meu é gordinho, o filho da outra é a alegria da festa e o meu é tímido. Aí olho para o meu filho com olhos de verme e acontece com ele o que aconteceu com o meu tomate: apodrece...

Conta-se... Um homem achou uma linda garrafa verde, com uma tampa vermelha, jogada em meio a um monte de velharias. Curioso, pegou a garrafa e a destampou. Foi um susto. Um gênio estava fechado dentro dela, e bastou que a tampa fosse tirada para que ele saísse.

Ele se curvou diante do homem e disse:

– Agora sou seu escravo. Tenho poder para fazer qualquer coisa. Posso dar-lhe alegria pelo resto dos seus dias. Faça o seu pedido!

O homem achou melhor pensar bem. Os desejos desfilavam diante de seus olhos: lindas mulheres, viagens por todo o mundo, banquetes, concertos... A felicidade estava garantida. Mas aí o gênio o interrompeu:

– Há apenas um detalhe sem importância, porque a realização dos seus desejos é mais que suficiente para que a sua felicidade se concretrize... E isso eu garanto.

– Mas qual é esse detalhe? – perguntou o homem.

– O detalhe é que todos os pedidos que você fizer seu inimigo receberá em dobro.

O homem parou, contemplou a dupla felicidade de seu pior inimigo e falou:

– Já sei o que vou pedir. Me fure um olho...

Assim é o trabalho da inveja.

GULA

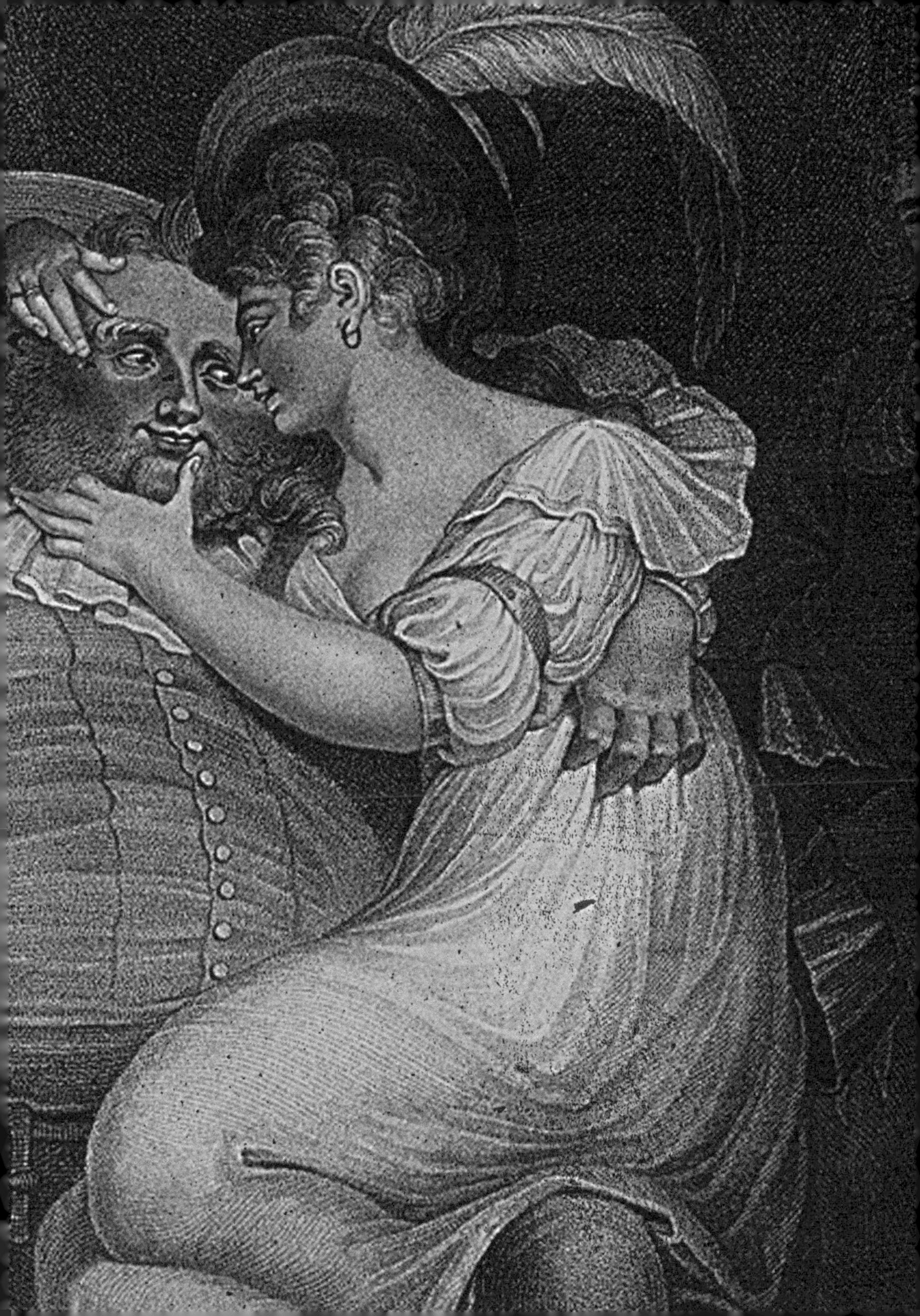

Só de pensar, minha boca se encheu de água. Me vi comendo um bombom suíço, bem devagarzinho – aquele chocolate macio, recheado de licor, uma cereja vermelha dentro. Quantos prazeres se encontram num único bombom! É preciso ir devagar, como em tudo o que tem a ver com prazer. É grosseria enfiar o bombom inteiro na boca e comê-lo como porco. Primeiro, é o prazer de tirar-lhe a roupa. A carne mulata vai se mostrando aos poucos, sugerindo... Depois vem o perfume, que atiça as glândulas salivares a secretar seus sucos. A seguir, as delícias do gosto. Os dentes entram carinhosamente na carne macia que vai se abrindo, a ponta da língua testando a cereja guardada na concavidade escura cheia de licor. Mais uma mordidinha e o licor escorre, e a língua tem de trabalhar depressa para não perder nada... O gosto deve ficar rodando na boca, movido pela língua, misturando-se com nossos fluidos, excitando as papilas gustativas.

Mas, depois de algumas rodadas, o prazer do gosto pede uma realização maior. O gosto não é o bastante. Fosse bastante, bastaria cuspir o bombom depois de esgotados os prazeres do gosto e não haveria perigo de engordar. Mas não. O prazer do gosto exige um outro prazer para se sentir completo – é preciso engolir. O bombom, transformado numa pasta líquida, abandona a boca, lugar do gosto, e vai escorregando, deslizando, penetrando o esôfago até descansar no estômago. Esse prazer nada tem a ver com o gosto. É puramente tátil, o prazer da plenitude – o bombom penetra, enche a gente.

Ah! Que coisa refinada e deliciosa, especialmente agora que os bombons suíços me foram proibidos por causa da diabetes. O que, provavelmente, não é o seu caso. Sem sofrer de diabetes, você pode se entregar, ainda que por breves momentos, aos prazeres da gula. A gula é um demônio saboroso, o que a torna especialmente perigosa. Eu, diabético, posso ser tentado. Mas não caio na tentação. A gula jamais me pegará. Quero viver. Muitas virtudes nada mais são que transformações dos nossos medos.

A psicanálise reconhece uma curiosa dança dos prazeres – eles são capazes de abandonar seus locais de origem e se alojar num outro, que não é naturalmente seu. Fiquei a pensar se a gula não é um desses casos, um deslocamento dos prazeres sexuais para a boca. Porque no prazer sexual acontece assim mesmo: não bastam os prazeres vestibulares, é preciso penetrar. Serão boca, esôfago e estômago substitutos para os órgãos sexuais femininos?

Sobre demônios e pecados

Uma coisa é certa: é mais fácil ter prazer com a boca que ter prazer sexual. Os prazeres da gula estão sob controle de atos voluntários. Minha vontade domina todas as partes do ato de comer. Mas os prazeres sexuais são mais complicados. Aí a decisão cerebral não manda. Não acontece de você ter o bombom, querer comê-lo e não conseguir. Com o sexo acontece. Que frustração! Que fome! Os prazeres do sexo podem levar à gravidez. Os prazeres da gula levam inevitavelmente à obesidade. A obesidade é uma gravidez sem esperança, que nunca vai parir, vai só crescer.

Prazer precisa de intermitência. Como no sexo. Depois do orgasmo, o corpo está satisfeito. É preciso esperar um tempo para que ele queira de novo. O prazer continuado deixa de ser prazer, transforma-se em dor. Pois é isso que o demônio da gula faz com quem se entrega a ele. Tudo começa com o prazer do bombom. Depois de muitos bombons, o corpo já não os come pelo prazer dos bombons. O prazer já não está no gosto. Está no engolir.

O obeso não quer ser obeso. Tudo é complicado para ele – passar na borboleta do ônibus, se sentar na poltrona do avião, amarrar os sapatos, comprar roupa, transar. Não gosta de se ver no espelho. Não gosta do jeito como os outros o olham. Sabe que a obesidade é feia, que faz mal à saúde, causa infarto, pressão alta, diabetes. Quer ser magro, elegante, bonito. Sabe que para ficar magro é preciso parar de comer.

Mas, lá pelas duas horas da madrugada, hora de solidão (os demônios amam as horas de solidão!), o demônio lhe fala sobre os bombons... Ele não está com fome. É o demônio que suplica, com voz chorosa: "Estou com vontade de comer uns bombons..."

Porém não há bombons no apartamento. Ele comeu todos enquanto via televisão. Pensa em se vestir e ir ao supermercado. Mas faz frio. Lembra-se então de que na cozinha há bolachas e leite condensado. Vai até a cozinha, abre uma lata de leite condensado, lambuza as bolachas e vai devorando, enquanto o leite escorre pelos dedos. Mas ele não permite que o doce se perca – lambe os dedos, enfiando-os um a um na boca. Pena que os dedos não possam ser comidos... Ele não faz mais distinção entre bombons suíços e leite condensado com bolachas. Quem se entrega ao demônio da gula perde a capacidade de degustar. O prazer de degustar é substituído pelo prazer de se empanturrar.

Terminada a orgia de gula, alguns, como ato de penitência, se ajoelham contritamente diante do altar – a privada. Enfiam então o dedo na goela e vomitam o que comeram. É seu jeito de pedir perdão.

LUXUR

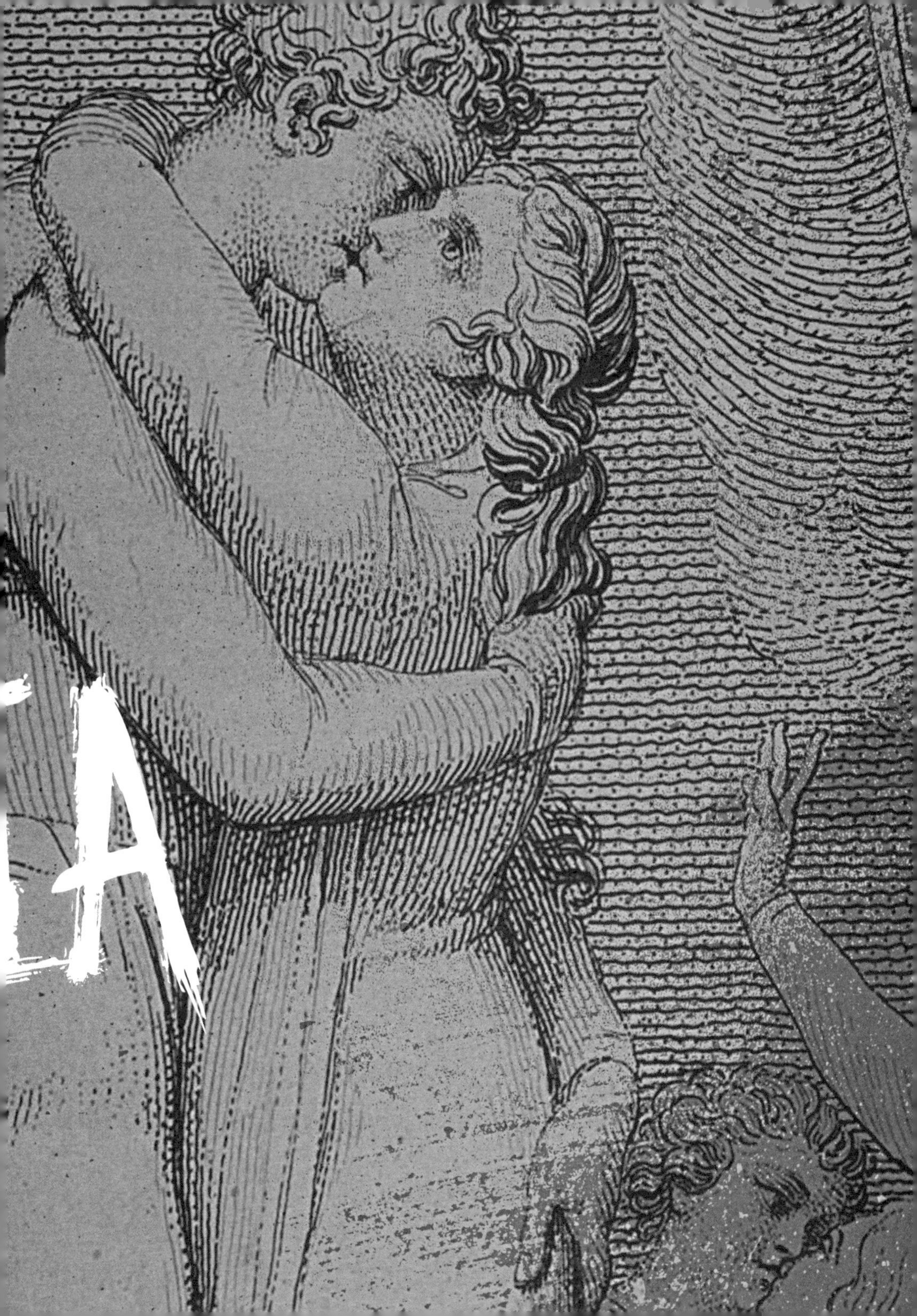

Luxúria! Que imagens lhe vêm à cabeça quando você ouve esta palavra? Não é preciso dizer. Eu sei. São imagens de grandes orgias sexuais, bacanais, surubas, homens e mulheres fazendo sexo de tudo o que é jeito... Um filme pornô sempre ajuda a imaginação. Ficam escondidos, no cantinho da locadora de vídeos ou numa sala especial. Por que será que os filmes pornôs ficam escondidos e os filmes de matança e horror não?

Houve um tempo em que a censura funcionava para proteger a pureza da família brasileira. O censor era encarregado de aprovar ou reprovar as cenas. E o critério básico era claro: cortar a cena em que o mocinho beija o seio da mocinha e deixar a cena em que o bandido corta o seio da mocinha...

Olhando para os lados, vencendo medo e vergonha, você pega o vídeo pornô... Deus me livre. Jamais faria isso. Não é comigo. Desse pecado eu não sofro. Sou pessoa religiosa, carismática, evangélica. Ver filme pornô é coisa de gente depravada. Gula, inveja, arrogância, até que pode ser. Mas luxúria, jamais! Pra dizer a verdade, já até perdi o interesse por coisas do sexo. A idade sempre ajuda as virtudes...

Pois eu quero lhe dizer que luxúria não é nada disso. A luxúria não mora nos genitais. Ela mora nos olhos. Isso mesmo. Luxúria é um jeito de olhar. O resto são simples deduções algébricas...

Eu tinha um livro de arte erótica. Para escrever esta crônica, fui atrás dele. Queria examinar de novo alguns detalhes divertidos. Mas onde está o danado?

Sumiu. Ainda vou escrever sobre essa curiosa propriedade que os livros têm de sumir. Um dos mais amados, presente de amigos, único, maravilhoso, *Enciclopédia das coisas que não existem*, produzido na

Espanha, capa verde, grande, ilustrações incríveis, colorido, desapareceu e não houve jeito de achá-lo. Deve ter voado por conta própria para alguma outra casa onde hoje se encontra, para alegria de uma outra pessoa, que goza a dupla alegria do livro e do roubo. Não é curioso que o roubo não seja listado entre os pecados capitais?

Mas, voltando ao tal livro de arte erótica que comprei num sebo: o que eu procurava era uma ilustração – homens e mulheres numa alegre reunião social, vestidos a rigor, tomando drinques. Só que nenhum deles tinha rosto. Os rostos eram pênis e vaginas sorridentes, em alegre conversação. Em sua próxima festinha, você haverá de se lembrar disso. Pois esta é, precisamente, a característica da luxúria: os olhos não se interessam por rostos, olhos, cabelos, mãos. Eles só veem uma coisa: os genitais. Ah! Você vai logo dizer que isso não acontece com você. Bem, tudo é crível... Mas deixe-me perguntar a você, mulher pura: quando você está na praia e passam aqueles gatos musculosos, verdadeiros deuses apolíneos – claro, você olha para o rosto. Mas e depois de olhar o rosto? Por onde passeiam seus olhos?

Os homens são mais desavergonhados. Vão logo tirando o biquíni da gatinha – afinal de contas, os biquínis cobrem tão pouco! Os olhos mergulham nos detalhes que não são vistos, mas são sugeridos. Biquínis e sungas são convites à visão do que não se vê. Na praia, essa transformação do olhar é evidente. Mas a mesma coisa acontece na vida normal. Um amigo, professor, me confessou seu embaraço ao perceber os olhares de suas jovens alunas, centrados em lugares outros que não seu rosto. Talvez ele não seja superdotado e se sinta diminuído.

O pecado da luxúria faz isto – as pessoas atacadas por ele perdem a capacidade de ver rostos. Só veem genitais e as coisas que se podem fazer com eles. Com isso, tornam-se incapazes de amar. Porque o amor nunca começa nos genitais. O amor começa no olhar. Olhando fundo nos olhos de alguém possuído pelo demônio da luxúria, a gente só enxerga uma coisa: pênis e vaginas. Pênis e vaginas de vez em quando, tudo bem. São partes, pequenas partes de um delicioso brinquedo que se chama "fazer amor". Mas quando é só isso que aqueles olhos veem o resultado é imensa monotonia. Porque todas as orgias sexuais, no fundo, são a mesma coisa.

Cura para a perturbação oftálmica chamada "luxúria"? Nem reza, nem promessa, nem flagelação, nem ameaça. O remédio é poesia. Os demônios têm horror a poesia. Não há luxúria que resista aos poemas do Vinícius, do Drummond, da Adélia. O Drummond tinha vergonha de seu erotismo. Escreveu poemas de uma sem-vergonhice deliciosa, mas não os publicou em vida. Tinha vergonha de revelar esse seu lado secreto. Mas ele morreu e os poemas estão aí. A Adélia não tem vergonha. Haverá coisa mais erótica que seu poema "Casamento", sobre a escamação de peixes?

Há mulheres que dizem:
Meu marido, se quiser pescar, pesque,
mas que limpe os peixes.
Eu não. A qualquer hora da noite me levanto,

ajudo a escamar, abrir, retalhar e salgar.
É tão bom, só a gente sozinhos na cozinha,
de vez em quando os cotovelos se esbarram,
ele fala coisas como "este foi difícil"
"prateou no ar dando rabanadas"
e faz o gesto com a mão.
O silêncio de quando nos vimos a primeira vez
atravessa a cozinha como um rio profundo.
Por fim, os peixes na travessa,
vamos dormir.
Coisas prateadas espocam:
somos noivo e noiva.

Nos meus tempos antigos de protestante, usava-se fazer uma coisa chamada "culto doméstico". A família se reunia para ler a Bíblia e orar. Acho que costume semelhante seria salutar – as famílias se reunindo depois do jantar para ler poesia. Inclusive as Sagradas Escrituras. Não há luxúria que resista à leitura do Cântico dos Cânticos.

Ó meu amado, beija-me com os beijos da tua boca:
porque melhor é o teu amor do que o vinho.
Como és formosa, querida minha, como és formosa!
Teus olhos são como os das pombas
e brilham através do teu véu.
Os teus lábios são como um fio escarlate e as tuas faces
como uma romã partida... Arrebataste-me o coração
com um só dos teus olhares!
Os teus lábios destilam mel.
Mel e leite se acham debaixo da tua língua.
Os meneios dos teus quadris são como colares
trabalhados pelas mãos de um artista.
O teu umbigo é uma taça redonda
a que não falta bebida.
E o teu ventre é um monte de trigo cercado de lírios.
Os teus seios são como os cachos da videira.
E o aroma da tua respiração como o das maçãs...
Vem, ó meu amado... Já despi a minha túnica...

Quem é tentado pela luxúria é porque não está amando. O remédio para a luxúria é o amor...

Wiewoll ich mein Gecklin lange zeit verborgen hab
So blibt er doch vnter meinem hütlin herfür

ARROC

ÂNCIA

Nikolai Berdiaev, filósofo russo, disse que a estética é o campo em que Deus e o Diabo travam suas batalhas. Há demônios especializados na beleza. Porque a beleza é sedutora. Pela sedução da beleza, as maiores tragédias acontecem na vida dos indivíduos e na vida dos povos. O programa do nazismo era lindo: saúde, limpeza e beleza. Eu estaria pronto a dar o meu apoio a um partido que adotasse esse programa. Hitler amava as artes plásticas e a música. E quantas tragédias individuais acontecem por causa de um rosto bonito e vazio! A beleza é o grande ídolo dos nossos tempos, adorado por todos.

Mas há também os demônios especializados num tipo de feiura chamado "ridículo". O arrogante se acha lindo. Somente aqueles que o veem se dão conta de seu ridículo.

É o caso do vaidoso. Ele se acha o mais bonito, o mais inteligente, o mais interessante. Deseja aparecer. Pavão. Abre o rabo de penas coloridas e fica esperando a admiração dos que o veem. Julga-se, em qualquer lugar, o centro da atenção admiradora de todos. Os mais bobos falam sem parar, julgando que suas palavras são poemas. Não percebem que os outros estão dizendo: "Você é um chato!"

Você deve se lembrar do Pequeno Príncipe. Saiu de seu pequeno asteroide e veio visitar a Terra, não sem antes visitar uma série de asteroides intermediários. Em cada um, vivia um tipo curioso. O Acendedor de Lampiões, o homem que vivia para cumprir o dever. O Rei, cujas ordens faziam o sol se pôr. O Homem de Negócios, que passava o tempo calculando quantas estrelas possuía, embora elas estivessem muito longe. O Geógrafo, que aprendera tudo sobre o planeta dele pela leitura de livros, sem nunca ter deixado sua escrivaninha.

E o Vaidoso... Vendo o Pequeno Príncipe à sua frente, logo perguntou: "Mais um admirador?" E pediu: "Por favor, bata palmas!" O principezinho, sem entender, fez o que lhe era pedido – bateu palmas. E o Vaidoso se curvou numa larga reverência, como um artista no palco, agradecendo os aplausos. Para o arrogante, o mundo é um palco, todas as pessoas são admiradoras e ele é o centro do espetáculo.

A arrogância assume várias formas. Numa extremidade está a arrogância narcísica. Você conhece o mito de Narciso. Jovem lindo, o mais lindo de todos, apaixonou-se pela própria imagem refletida no espelho de água de uma fonte. Sua beleza o fascinou de tal forma que tudo o mais perdeu o interesse. Nada no mundo podia se comparar à sua beleza. Incapaz de ver beleza fora de si mesmo, ele se tornou prisioneiro da própria imagem. Ficou paralisado à beira da fonte e morreu, transformando-se então na flor que leva seu nome.

O mundo está cheio de Narcisos. Você deve conhecer aquelas pessoas que, quando a gente conta uma coisa, não demonstram o menor interesse e vão logo dizendo: "Mas isso não é nada..." E com essas palavras jogam no lixo o que a gente falou e passam a falar sobre a única coisa que realmente importa: elas mesmas.

Na outra extremidade está a arrogância violenta, que acontece quando o Narciso, além de convencimento, tem poder. Tendo poder, ele se impõe. Claro. Convencido de sua beleza, ele acredita que suas ideias são as únicas certas. As ideias de todos os outros têm de estar erradas. Ele não pode admitir que outros possam estar certos. Porque isso seria admitir que os outros têm uma beleza que ele não possui. Se ele for somente um Narciso sem poder, sua feiura aparece apenas na chatice de que todos fogem. Mas, se ele tem poder – se é presidente, ou diretor de escola, ou chefe de departamento, ou delegado, ou oficial do exército, ou campeão de artes marciais, ou professor, ou pai, ou mãe –, não titubeia em lançar mão de seu poder para fazer valer a superioridade que acredita possuir. Aí a arrogância se revela como violência. Quanto ao arrogante narcísico, todos riem dele. Quanto ao arrogante violento, todos riem dele e desejam sua morte.

A arrogância está intimamente ligada à vaidade. A palavra "vaidade" vem do latim *vanus*, que quer dizer "vão". Vaidade, assim, é o vazio, o sem conteúdo, o sem valor. O arrogante está possuído pela vaidade. Vi um lagarto arrogante. Insignificante se não se percebia visto, quando queria impressionar os outros estufava um saco vermelho que havia no pescoço. Ficava, de fato, impressionante e amedrontador. Mas seu papo vermelho era *vanus* – estava cheio de ar. Assim são os arrogantes.

AVARE

ZA

Diz o texto sagrado que o Espírito levou Jesus ao deserto para ser testado pelo Demônio. Esta é a missão dos demônios: são ministros de Deus encarregados de testar os materiais de que a alma é feita.

A tentação, que é a ferramenta dos demônios para o cumprimento de sua missão, só acontece no lugar onde mora o desejo. O santo que resiste à tentação está confessando: "Em mim mora esse desejo, que me tenta". Ninguém é tentado a comer tijolos. Porque ninguém deseja comer tijolos. É preciso que haja o desejo para que a tentação aconteça.

No deserto, o Demônio começou seu teste pelo desejo mais inocente, mais natural. Jesus estava com fome, depois de jejuar por quarenta dias. Queria comer. Com certeza estava tendo visões de pães. O Demônio sugere:

– Um pequeno milagre vai resolver tudo. Você tem poder. É só falar e as pedras se transformarão em pães.

Que Deus bom esse, à nossa disposição para atender nossos desejos! Mas o Deus de Jesus não é assim. Ele não pode ser invocado para nos livrar dos apertos.

– Nem só de pão viverá o homem, mas de toda palavra que sai da boca de Deus... – Jesus respondeu.

O Demônio percebeu que aquele não era o lugar. Mudou-se para o lugar onde moram desejos mais sutis. Os piores pecados não são os da carne, são os do espírito.

– Imagine-se na torre do templo. Lá embaixo a multidão gritando: "Pula! Pula!" Aí você pula. Mas então o inesperado acontece: os anjos vêm e o carregam pelos ares. Será o triunfo, a consagração! Todos acreditarão em você e o seguirão!

Jesus responde que não se deve testar Deus para a realização dos nossos desejos.

Aí o Demônio lança mão do mais profundo desejo que existe na alma humana: o poder. Leva Jesus a um alto monte, mostra-lhe todos os reinos do mundo e suas riquezas e diz:

– Tudo isso te darei se prostrado me adorares!

Quem tem dinheiro tem todas as coisas. O dinheiro é o deus do mundo. O Vinícius inicia o poema "O operário em construção" citando esse texto do Evangelho. O operário, no alto do monte, tentado pelas riquezas! Porque o fascínio pelo dinheiro não mora apenas no coração dos ricos. Mora também no coração dos pobres.

Esqueça as imagens corriqueiras do avarento como aquele que guarda e junta dinheiro. Esse avarento é um coitado. Faz mal a pouca gente. Ele é o maior prejudicado. De sua companhia todos fogem. Ele é ridículo. Avareza não é isso. É uma qualidade espiritual. Avareza é uma doença dos olhos. Bernardo Soares disse que não vemos o que vemos, e sim o que somos. O avarento não vê as coisas; ele vê o que elas valem como dinheiro – a casa, o carro, o filho. E não pense que isso é coisa só de rico... Os pobres avarentos também veem as pessoas em função do dinheiro que delas se pode extrair.

Marx era bom teólogo – sabia que o dinheiro é um deus que opera os mais extraordinários milagres. Veja os comentários de Goethe e Shakespeare que ele transcreveu em seus *Manuscritos econômico-filosóficos*, de 1844:

"Eu sou feio, mas posso comprar a mulher mais bonita para mim mesmo. Consequentemente eu não sou feio, porque o efeito da feiura, o seu poder para repelir, é anulado pelo dinheiro. Como indivíduo sou um aleijado, mas o dinheiro me dá vinte e quatro pernas. Portanto eu não sou aleijado. Eu sou um homem detestável, sem honra, sem escrúpulos e estúpido, mas o dinheiro é objeto de admiração universal e portanto eu, que tenho dinheiro, sou admirado. Sou curto de inteligência, mas, desde que o dinheiro é o espírito de todas as coisas, como poderia aquele que o possui não ser inteligente? Eu, que pelo poder do dinheiro posso possuir tudo aquilo que o coração humano deseja, não serei também possuidor de todas as virtudes humanas?".

Pense nas misérias do Brasil. Elas não foram produzidas pela ira, pela preguiça, pela inveja, pela gula, pela arrogância, pela luxúria. Esses demônios são fracos. Nossas misérias são produzidas pela avareza. Os corruptos olham para o país e pensam: "De onde e como posso extrair dinheiro?" E os horrores das guerras e dos genocídios... São produzidos pelo uso de armas pensadas por inteligências científicas, fabricadas com cabeças técnicas e vendidas por amor ao lucro.

Quem fabrica e vende armas não pensa no sofrimento que elas vão produzir. Pensam, os cientistas que as imaginam e as pessoas que as vendem, em sua eficácia técnica e seu valor econômico. Quem é movido pela avareza não tem olhos nem coração para sentir o sofrimento dos outros, porque estes lhe são apenas um valor econômico. A avareza tira a capacidade de compaixão. E, com isso, nossa condição de seres humanos.

PRE

GUICA

Escrever é meu jeito de brincar. As palavras são meus brinquedos. Brinco com as palavras para ter alegria, essa coisa que, segundo Guimarães Rosa, só acontece em raros momentos de distração. Segundo Alberto Caeiro, a alegria existe apenas quando a gente não está pensando nela. É só pensar para que ela se vá. Como quando estou escrevendo fico distraído de tudo, fica mais fácil para a alegria acontecer...

Este livrinho que estou escrevendo sobre demônios e pecados está me provocando muitos risos. E acho que os deuses também riem...

Não tive dificuldades para escrever sobre

possessões demoníacas. Mais fácil ainda foi escrever sobre os pecados que antigamente lançavam homens e mulheres ao Inferno – a ira, a inveja, a gula, a arrogância, a luxúria, a avareza.

Mas estou tendo dificuldades com a preguiça. Porque não estou tão certo assim de que preguiça seja pecado. Acho que até pode ser uma virtude. Gostaria de ser possuído por ela de vez em quando.

Preguiça é fazer vagarosamente – ou simplesmente não fazer – aquilo que deveria ser feito rapidamente. Fernando Pessoa devia estar com uma preguiça danada quando escreveu o poema "Liberdade" – na verdade sua preguiça não era completa, porque se fosse ele não teria escrito coisa alguma:

> Ai que prazer
> Não cumprir um dever.
> Ter um livro para ler
> E não o fazer!

Ler é maçada,
Estudar é nada.

Por que a preguiça acontece? É a perspicácia psicanalítica prematura de Álvaro de Campos que nos explica num único verso: "Sou o intervalo entre o que desejo ser e os outros me fizeram". Na preguiça, o preguiçoso está dizendo: "Não farei aquilo que um 'outro' me ordena fazer..." No preguiçoso mora um germe de rebelião. A preguiça é a revolta contra uma autoridade que deseja apossar-se do seu corpo e obrigá-lo a fazer o que ele não deseja. O "outro" que manda ordena que aquele a quem ele se dirige realize seu desejo. Mas o ouvinte, que deveria obedecer, deitado na rede, recusa-se a isso.

Roland Barthes escreveu um delicioso ensaio sobre a preguiça. Se a minha memória é obediente e ainda não se entregou à preguiça, é isso que ela me traz.

Há dois tipos de preguiça. A primeira é a

preguiça feliz, desejada e permitida, aquela que se tem depois de caipirinhas e feijoada. Satisfeito, sem nenhum desejo a ser realizado, o corpo se entrega – deita-se na rede sem sentimentos de culpa, abandona-se ao sono e dorme. Nessa preguiça, o preguiçoso atinge a bem-aventurança de estar reconciliado com o mundo. Não lhe passam pela cabeça ações revolucionárias que visam à sua transformação. Os revolucionários, como me lembro deles, jamais têm preguiça. Vivem num estado de guerra constante.

A outra é a preguiça infeliz que floresce nas escolas. O professor – o "outro" – apresenta aos alunos um livro de 235 páginas que deverá ser lido. Além disso, os alunos deverão entregar, como prova de o haverem lido, um "fichamento" da obra, o qual o professor, também por preguiça, não vai ler. Ele não é tolo.

O aluno está diante do livro fechado. "Lê-me ou te devoro", o livro lhe diz. Ele não tem alternativas. Terá de fazer o fichamento inútil. Examina o livro e dá uma olhada no conteúdo, que decididamente não desperta seu apetite. Mas ele tem de obedecer contra a vontade. Por isso seu corpo, como resistência à ordem do "outro", começa a se arrastar, debruça-se sobre a mesa, achata-se no chão como se fosse uma panqueca.

Assim, temos duas preguiças: a que nasce da felicidade e a que nasce da rebeldia. Eu bem que gostaria de me entregar às delícias das preguiças felizes e das preguiças rebeldes. Mas não posso. O "outro" não me deixa. E não posso me revoltar contra ele, porque o "outro" sou eu...

ÍNDICE DE IMAGENS
ACERVO METROPOLITAN MUSEUM OF ART

FICHA CATALOGRÁFICA - THE SKELETON RE-ANIMATED. LUIGI SCHIAVONETTI, 1813.

PARTE I - SPECULUM ROMANAE MAGNIFICENT: A SATYR AND A RAM CLASHING. MARCO DENTE, N.D., SÉCULO XVI.

POSSESSÃO DEMONÍACA - DEATH OF THE STRONG WICKED MAN. LUIGI SCHIAVONETTI, 1813.

LOBISOMEM - SPECULUM ROMANAE MAFNIDICEANTIAE: LION ATTACKING A HORSE. ADAMO SCULTORI, 1540-80.

OS DEMÔNIOS SÃO OS MESMOS, MAS OS NOMES SÃO OUTROS - TORNADO - ZEUS BATTLING TYPHON. WILLIAM BLAKE, 1795.

O QUE NÃO EXISTE, EXISTE - THE SOUL HOVERING OVER THE BODY, RELUCTANTLY PARTING WITH LIFE. LUIGI SCHIAVONETTI, 1813.

O RETRATO DE DORIAN GRAY - THE ENCHANTED ISLAND BEFORE THE CELL OF PROSPERO. PETER SIMON, 1797.

QUEM TOLERA TUDO É PORQUE NÃO SE IMPORTA COM NADA - TIMIDITAS FROM FOUR VICES. RAPHAEL SADELER I, N.D. SÉCULO XVI - XVII

PARTE II - GROUP OF SEVEN HORSES. HANS BALDUNG, 1534.

IRA - ENGRAVED COPIES OF THE LITTLE PASSION. ALBRECHT DURER, N.D., SÉCULO XV - XVI.

INVEJA - KING LEAR CASTING OUT HIS DAUGHTER CORDELIA. RICHARD EARLOM, 1792.

GULA - DOLL TEARSHEET, FALSTAFF, HENRY AND POINS. WILLIAM SATCHWELL LENEY, 1795.

LUXÚRIA - THE MEETING OF A FAMILY IN HEAVEN, FROM THE GRAVE, A POEM BY ROBERT GRAVES. LUIGI SCHIAVONETTI, 1813.

ARROGÂNCIA - ALLEGORY ON VANITY. ANÔNIMO, SÉCULO XVII.

AVAREZA - JOSEPH SOLD TO THE MERCHANTS: A BEARDED MAN GRASPING JOSHEP WITH HIS LEFT HAND RECEIVES COINS IN HIS RIGHT HAND. GEORG PENCZ, 1546.

PREGUIÇA - PLEASURES OF OCCUPATION. CORNELIS BLOEMAERT, SÉCULO XVII.

ABERTURAS PARTE I - GRAVURAS DE JACQUES CALLOT "THE TEMPTATION OF ST ANTHONY".

ABERTURAS PARTE II - GRAVURAS DE JACQUES CALLOT "THE SEVEN DEADLY SINS".

CAPA

THE TRIUMPH OF THE GENIUS OF DESTRUCTION. MIHÁLY ZICKY, 1878. HUNGARIAN NATIONAL GALLERY.

Este livro foi composto nas fontes Baskerville e Akula pela Companhia Editora Nacional em outubro de 2018. CTP, impressão e acabamento pela Gráfica Impress.